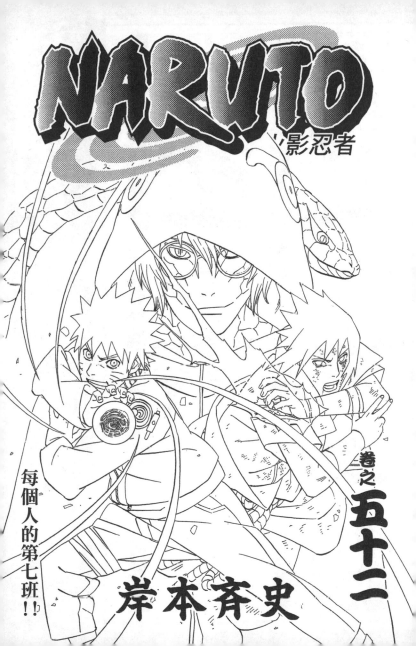

主要登場人物介紹&故事大綱

宇智波佐助

漩渦鳴人

春野櫻

旗木卡卡西

大和

祭

自來也

綱手

重吾
香燐
水月
雷影
宇智波鼬
宇智波斑
干柿鬼鮫
我愛羅
段藏

——前情提要——

　　原為木葉忍者村忍者學校中的問題學生鳴人，終於與佐助、小櫻一起成為忍者了。鳴人他們在經歷許多考驗與戰鬥之後，漸漸的成長。但是佐助還沒有放棄報仇這個願望，因為想得到大蛇丸的力量而離開村子……

　　過了兩年多後，結束修行的鳴人與想得到「尾獸」而暗中活動的「曉」進行激戰。另一方面，佐助在與鼬的戰鬥中獲勝。但是佐助得知了哥哥的真正想法，決定與「曉」聯手，發誓要毀滅木葉忍者村。

　　接到斑的宣戰布告之後，各忍者村的領導人開始為了組成忍者聯軍而展開行動。就在這時候，佐助終於打倒敵人之一的段藏。雖然小櫻試著阻止被復仇的想法控制住的佐助，但卻反倒讓自己有生命危險而被卡卡西解救……

NARUTO

―火影忍者―

卷之五十二

每個人的第七班！！

目 次

每個人的第七班!!

擺出那麼傷心的表情⋯⋯！

ポロ、

ポロ、

⋯⋯寫輪眼⋯⋯是身為宇智波一族的證明⋯⋯

行了⋯⋯

⋯⋯可惡⋯⋯

滾淚

！

不是宇智波一族的低俗忍者，別展現出那種眼睛！

我看你很想把佐助帶回去，

但如果事情進行得不順利，那你有什麼打算？

我就是在問你萬一佐助去攻擊木葉忍者村，那你要怎麼辦？

……

即使要殺
死他⋯

佐助還很純真，
所以會輕易的改
變立場，
如果事情變成這樣，
你能夠阻止他嗎？

⋯真是幼稚。

你說的事情都是不
可能實現的，有時
候忍者會被迫做出
嚴苛的選擇。

並且在不殺死佐助
的狀態下阻止他！

我會保住木葉忍者村！

木葉忍者村的小
鬼⋯你該更認真
的考慮一下自己
該做什麼！
忍者世界沒這麼天真，
不可能讓你一直當個笨蛋！

為了罪犯而低頭，為
了夥伴的安全而請求
別人大發慈悲；
在忍者的世界裡，
這根本不叫友情！

那身為佐助好友
的你，
就要做自己該做的
事情。

好好的感謝宇智波一族的力量吧。

沒想到不是那個眼睛的能力……讓你得救了……

看來是那宇智波一族的你……居然能讓萬花筒開眼……

那就是「須佐能乎」嗎？

佐助……在你心中的，應該不是只有你的族人，

應該不是只有憎恨，

你再次……仔細看看自己的心靈深處吧……

還在說這種話啊……

……

……其實你應該早就知道了。

所有人……
都在笑……

犧牲性命，卻換
來他們的歡笑！

所有人什麼都不
知道，而是一起
嘻皮笑臉！

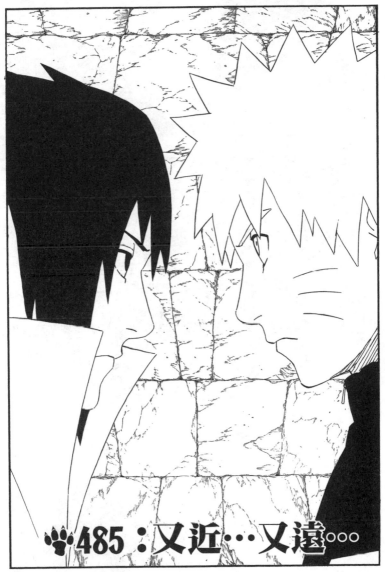

485：又近…又遠。。。

鳴人，你出現的時機比我還棒…

雖然我沒想到你會來…但你幫了大忙。

佐助…

小櫻跟我們一樣都是第七班的成員啊！

鳴人…謝…謝謝你…

スッ…

……

鳴人，這樣你該知道了吧？佐助已經跟以前不一樣了。

是以前的第七班…

…對我來說是這樣。

就在剛剛⋯⋯我把鼬的仇人之一給殺死了。

我在這裡殺了一個木葉忍者村的高層。⋯⋯他叫做段藏。

⋯⋯什麼？他居然把段藏給⋯⋯

!!

我從來沒有這種感覺。

我感覺到遭到污穢的宇智波一族被淨化了。

我感覺到讓宇智波一族跟腐敗的忍者世界訣別了。

從某個角度來說，這也是你們木葉忍者村想看到的狀況。

我就依照你們這些從以前就一直否定宇智波一族的人心中的期望，把宇智波一族從你們的記憶之中消去吧！

這是我的使命。

!!

鳴人…小櫻…你們離開這裡吧。

卡卡西老師…可是！

待在這裡，會讓你們看到不想看到的事情…快趁現在離開吧！

我…靜音告訴過我，用有毒的苦無殺不死佐助…因為大蛇丸讓他有了對毒物的耐性…而且…你們也已經知道自己的感受了吧？

佐助……雖然我讓你恢復了……但是再這樣下去……

不……佐助的事情……我看就算了……

卡卡西老師，意思是說……

你要殺了佐助嗎？

唓啦

……

チチチチチチチチ

……快走吧！

バチチ

也曾經想過要
對村子報仇…

以前我也很
痛恨村子，

你也知道吧…
以前村子裡的
人很討厭我…

因為九尾就在
我的體內。

能夠見到你…真的是太好了。

我要把你還有村子裡的人全都殺光！

現在不管你說什麼，都改變不了我的！

鳴人…

44

！

ズズズズズズ…

斑…

我不是叫你回去休息嗎？

…是九尾啊…

……

……

……

我會找機會讓你跟他們好好戰鬥的…

現在先撤退吧！

呼

呼

ズズズズズズズ

反正我們本來就要得到九尾的祭品之力才行⋯

讓我來吧！

ズズズズ

！

九尾我會交給佐助去處理⋯這也是我想看的餘興節目⋯

絕⋯你沒辦法抓住鳴人的，你不是戰鬥型的忍者，要對付戰鬥型的忍者實在有困難。

斑還有絕⋯他們都在佐助身邊⋯這樣由我一個人獨自對付實在是太辛苦了⋯怎麼辦？

鳴人！

我比較擔心鬼鮫⋯你差不多該過去了，會合。

⋯好啦！

佐助，走吧⋯

嗯⋯我只是想跟佐助說一些話。

等等⋯

⋯⋯？

⋯⋯

佐助，你還記得以前你在終末山谷說的話嗎？

就是關於一流忍者的事情…

……………

如果雙方都是一流的忍者，只要交手一次，就能夠看穿彼此的心中在想什麼。

你已經看穿我心中的……真正想法了嗎？

即是不說出來也一樣。鳴人，你太天真了。怎麼樣啊？

54

如果你攻擊木葉忍者村…

我就必須跟你戰鬥…

把憎恨留到那個時候吧…

然後把憎恨全都發洩在我身上。

…只有我能夠接納你的憎恨！

只有我能做這件事！

我就跟你一起背負憎恨，然後跟你一起死！

……

……

為什麼對我這麼執著？你到底想幹嘛？

…搞什麼啊！

咬牙…

……

佐助，要跟你互相理解並不是一件容易的事情，

我想起在第一次見到你的時候…我就知道了！

用拳頭來互相理解，是想要跟你理解時必須的做法，這是肯定的！

我剛剛也說過…我們都已經成為一流的忍者了！

舉起

只要能互相理解，你的憎恨就…

就像我遇到伊魯卡老師那樣…

鳴人…你…

只要不需要背負任何東西，就能在極樂世界互相理解了！

我…不會變了！

而且我也不想死…會死的只有你！

我也不想跟你互相理解！

夠了…鳴人，佐助由我來動手。

你有成為火影這個偉大的夢想…

你不需要跟著佐助斷送你自己——

連個夥伴都救不了的人，怎麼可能當得上火影。

我要跟——

佐助戰鬥！

name 蛇尾

舌…大蛇丸っぽい
顔頭…九尾っぽい
頭…ライオン
羽…ドラゴン
体…まるっぽい
尾…蛇

忍犬?的
存在

尾の部分の
蛇は伸縮自在。

前足に
水かきが
ついている。

空を飛べて 地上で歩け、
水中で泳げ、地中にもぐれる

（德島縣　メノレト讀者）

○雖然設計得很簡單，但相對的也很容易看出來，這點非常好。能夠自由自在的在陸海空移動這一點我也很中意。

百々眼ゴグル

（神奈川縣　ライケン讀者）

○他身上所有的線條應該都是「眼睛」。從他的名字看來，他應該有一百個眼睛！姿勢也很有「眼睛」角色的味道，非常棒呢！

〈こまり〉

小鞠

身軽で、
木のぼりやかけっこ
には、だれにも
おとらないほど
のスピード
がある。

体力には
自信あり。

山奥に
住む。
忍術は
主に土遁や
風遁を得意
とする。

武器、
短い刀
みたいな
持ち手が
ついている。
よく切れる。

（福井縣　ナツキング讀者）

○大大的辮子在行動的時候會擺動起來，感覺好像很好看。衣服也鬆垮垮的，感覺很不錯。

森野
杢子

中忍

ジメジメしてる
の大好き。

時々体から
キノコがはえる
ほうしをとばし、
キコ分身を
つくったり、
ほうしを吸った
ヤツの体から
巨大なキノコがはえて、
チャクラを吸られ、死ぬ。
このオンナコはとても
美味!!
丸いモノが大好きで、
シマの料理も好きな
男の子です。

ロセ
ツッキコ
のコッチ
体全体だ

（東京都　キバ大好き讀者）

○她的能力跟絕緣影像的呢。但是跟絕不一樣的是她的帽子很可愛！用通靈之術召喚出來的東西也好可愛喔！

戰爭爆發…！

……被你認同呢！

我還沒……

我就第一個殺了你。

好吧……

但是…

小櫻，我的身體就拜託妳了…

鳴人，佐助就交給你了…

…好吧…

算了吧，卡卡西。那種術對我沒用。

神威！！

スゥー…

我要在這裡把斑處理掉！

佐助，走吧。

……！

64

…歡迎你隨時來找我…

佐助。

就只是這樣。

68

殺人蜂大人！

我們回來啦！

喔！重、輕！好久不見啦！

你們過得又好、又悠閒、又開朗嗎？

怎麼可能！您突然從村子裡消失，我真的很擔心啊！

反正他活著回來了，有什麼關係呢！

咻咻…

這樣啊！那麼…

沒錯…

怎麼樣？你把戰鬥的狀況都錄下來了嗎？

當然…

「鮫肌」呢？

被八尾拿走了…

進行得很順利…
鬼鮫真了不起。

只要一宣戰，八尾應該就會被拘束起來，無法自由行動。

…要動手就選在那時候，慢慢的動手。

接下來才是辛苦的部分…

首先要潛入…你用白絕吧…

他可以複製自己曾經碰觸過的對象的查克拉，製造出能夠假扮對方的分身…

但是這種分身很弱…

在戰鬥中幾乎派不上用場，頂多只能欺騙敵人。

臥底任務啊…我好期待呢…說不定會把對手弄得半死…但就試試看吧。

74

讓「鮫肌」喜歡上八尾是一件好事，但沒想到居然還會提供查克拉給他。

不過這一點卻讓臥底任務非常的成功。

他們沒發現他是感應型的忍者…

本來就吸取鬼鮫的查克拉當做能量的「鮫肌」…

與鬼鮫的查克拉相同。

敵人也是這麼認為。

你太弱了…

臥底任務讓我來就好了…

但是你卻演得很好…

我在水中跟鬼鮫交換身分的時候，真的是很辛苦呢。

我可以解開假扮術了吧？

ドン…

好吧，水也同意。

……

有什麼關係呢？嗯……火也同意。

將畫面錄影下來，我天晝就是證人。

各位已經同意組成忍者聯軍了。

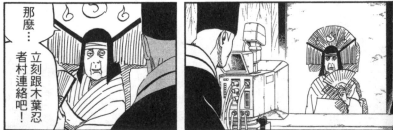

那麼……立刻跟木葉忍者村連絡吧！

：小櫻那麼拚命在作戰⋯

呼一呼一

他們竟然在這裡睡得這麼熟！

哈哈⋯

嗯⋯

：是⋯

小櫻⋯他們本來想幫妳。把他們叫醒之後，記得好好跟他們道歉。

真是的⋯

嗯⋯

咧

鳴人⋯：那是我造成的。

⋯所以你儘量溫柔一點⋯

你也要一起睡啊！

嗯…還是不太舒服…

躺下…

呼嚕

呼嚕

…妳叫小櫻吧…鳴人會變成這樣…也是妳下毒的關係吧？

ドン

低頭

哈哈…

睡得很熟呢…

鳴人好像放下了心中的大石頭

說來聽聽，現在就告訴我們。

好快啊……已經來報告啦！

因為聽到尾獸與斑的名字……領主們很快就做出決定了。

是的！

所以…我想跟各位學長討論一下「根」的未來。

而且要跟在場的新任火影…

旗木卡卡西先生一起談談。

……！

綱手大人！

靜音…難道…

怎麼了？

喀

喀

佐助在襲擊五影會談之後，又跟段藏交戰，既然他變得那麼虛弱…

當然不是…我並不想袒護他…

為什麼當時不一口氣把他給收拾掉？

那也不能輕易的讓他逃走吧！

嗚人…你可是打倒培因的英雄啊！

鳴人，你很強啊…所以佐助根本就…

當時斑也在場啊！

感覺上好像沒辦法輕易地打倒他…而且…

事情不是這樣…

我知道這樣子…現在的佐助…根本無法打倒…

他心中也有…

只有我能跟他交手…就是這個意思。

總之，誰都不能跟現在的佐助交手。

什麼意思？

‼︎

到底發生了什麼事？好好說明一下吧。

…等時候到了，我就會告訴大家。

兩個人都會死。

只要我跟你戰鬥…

鳴人…你到底在隱瞞什麼？

我肚子餓了，所以要去一趟一樂！

居然連段藏都…

越優秀的人走得越早呢…

我們要趕快召開選出火影的會議才行…

如果沒有火影，忍者聯軍的事情就沒辦法推行…

事情變成這樣，那就沒辦法了…我們會推薦你成為火影的。跟我們同盟的砂忍者村也推薦你。

我已經下定決心了。

那麼…旗木卡卡西，我們就任命你——

打擾了！

呼

唰

啊

呼

幹什麼？

我們正在召開重要的會議啊！

我也有重要的事情要報告！

呼

滴滴滴

綱手大人！

‥‥‥‥‥

靜音…
好痛啊！

太好了…

大老爺！我真的該這麼做嗎？

自來也跟我說「你去跟著鳴人」之後就死了。

489：為了忍界大戰！

自來也說鳴人已經能夠完全控制九尾的力量，於是我就做了實驗，結果控制得並不順利，

可是自來也說湊就是知道會這樣，才會把九尾的一半封印在鳴人的體內，不聽我的制止。

把渦鳴人找來吧…

我來看看有關他的預言…剩下的事情接下來再說。

……

大老爺…他就是鳴人身上那個四象封印的鑰匙！把他交給鳴人好嗎？您覺得呢？

後來⋯大蛇丸一直逼我做嚴苛的勞動⋯

等佐助當上首領之後，又是老是對我這個柔弱的女孩子下達根本做不到的命令⋯最後就把我像垃圾一樣的給⋯

情報部

嗚啊！我也是被害人啊！

原來如此⋯妳真可憐啊⋯

我並不想知道妳的生平事蹟⋯

我想知道的是關於「曉」的佐助與兜的情報。

你也別給老是被她給影響了。

是⋯抱歉。

啨！好啊⋯但是我有條件！

條件？

第一個條件⋯我肚子餓了！

要偵訊犯人，就應該要請吃豬排飯吧！

扒 扒 扒 扒

扒 扒

扒

請吃慢
一點！

這樣還
不夠！

我的查克拉還沒有復
原！再多拿一些食物
過來！不然一不小心
就會變回老太婆！

火影室的食
材已經被您
吃光了⋯

我正要去買
食材，請您
休息一下⋯

盯——

嗯⋯⋯

噗？

!!

您⋯⋯您在想什麼？絕對不能吃了牠啦！

‼

不⋯⋯不行啦！

我差點就要當上火影了⋯⋯

呃？

啊卡卡西先生。

妳在說什麼？

看您這麼有精神，真是太好了。

不過⋯⋯我根本就不是當火影的料，

而且以目前這種狀況，還是要由大家比較熟悉的綱手大人來擔任火影才行。

目前還不確定⋯⋯

但是從他想做的事情來看⋯⋯應該是不會錯的。

宇智波斑⋯⋯他真的還活著嗎？

這表示狀況已經變得非常糟糕了。

⋯⋯居然會組成忍者聯軍⋯⋯土影跟雷影竟然會願意提供協助。

…又要打仗了。

沒想到宇智波的因果必須由所有忍者來承擔…

等我吃飽之後立刻開會！

為戰爭做準備！

什麼？那綱手奶奶沒事囉？

太棒啦！

嗯！

現在開始召開因應戰爭的作戰會議。

仔細聽吧！

雖然你被找來參加作戰會議，但你還年輕，

戰爭啊⋯終於開始動起來了。

我會全力運用我的頭腦，把所有的事情都記住！

我知道⋯

首先，我們要開始儲備忍具與糧食，把忍者分成戰鬥部隊和支援部隊，討論戰鬥部隊的小隊組織方式！

把所有忍者的名單拿過來！

108

鳴人⋯⋯我看到關於你的預言了，

你以後會遇到章魚。

我是漩渦鳴人啦！

巨大老爺仙人！你也該記住我的名字了吧！

喔！對喔！你是鳴人⋯

唉⋯⋯每次都必須說同樣的話啊⋯

章魚？

我也沒看清楚，但那絕對是章魚的腳⋯

⋯⋯⋯⋯

然後⋯⋯你會跟眼睛裡寄宿著力量的少年戰鬥，並且⋯

嗯……

看到了嗎？

我知道……

你知道？什麼意思啊？

……你

我已經下定決心了。

嗯……

你說你知道那個……

眼睛裡寄宿著力量的少年是誰？

蛤蟆審：我也看到你跟著鳴人的預言了，

把第四代火影的封印的鑰匙交給他吧。

既然大老爺都這麼說了，那就沒辦法啦！

……………

…不…我聽說你現在叫做斑…

嗎…先跟你打聲招呼吧！

你居然知道我在這裡啊！

別小看我所擁有的情報，我以間諜的身分來往於各國之間，而且曾經是「曉」的一員。

我記得你是蠍的…也就是間諜的成員之一…

所以你是「曉」的叛徒。

114

這是…

因為我要讓你相信我的力量…

這是為了要表演給你看…

但我是第三個會用的人。

這是只有第二代火影與大蛇丸大人才會用的禁術。

而且現在我已經超越他們了。

ズッ

穢土轉生…

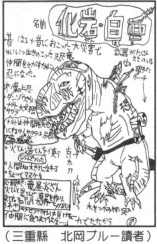

（三重縣　北岡ブルー讀者）

○好棒啊！因為他是恐龍，而且還有武器插在背後！這是非常奇特的設計！這一點我很中意！

（愛媛縣　朱莉讀者）

○雖然這個角色小小的，但是眼神很可怕，而且術的威力很驚人！

（山口縣　まいたけ讀者）

○打扮時髦的姊姊，把當做弟弟看待的拔票得團團轉，這充分表現出這種感覺。但是心地很善良這一點我覺得讓角色更有特色，所以是很好的想法。

（廣島縣　なほぴょん讀者）

○有忍者風格的設計，又有時尚風格的設計，真是個很好看的女忍者！我就沒辦法設計出這種角色呢。

想要跟我聯手…

………

聽說你最近想要發動戰爭，我可以提供你戰力…

我跟你聯手有什麼好處？

490：九尾的真相！

還有長門…

角都、

地達羅、

蠍、

在場的我、

每一個都是高手⋯而且⋯

我手上的棋子還不只這些。

你想要什麼回報？

宇智波佐助。

你有什麼企圖？

⋯⋯⋯

⋯沒有啊⋯

我只對忍術純粹的真理有興趣。

居然特地把屍體留在這種邊境之地…

從有忍者倒在這裡的狀況來看…前面一定有事情發生。

白眼‼

是！

德間！用白眼看一下兩點鐘方向。

怎麼辦？

會不會是陷阱？

什麼？

他們一起走進一個通往地下的入口！

兜不是只有一個人…連「曉」那個戴面具的男人也在一起！

御手洗隊長！這…

怎麼了？

鳴人，你很不安吧…

…這是難免的。

什麼意思？

………

控制九尾的力量，

就代表只引出九尾的查克拉，

將它變成自己的查克拉、轉變成自己的力量。

深作大人…九尾的力量，是由「九尾的查克拉」與「九尾的意志」這兩種東西構成的。

查克拉

意志

可是事情並沒有那麼簡單…

在引出九尾的查克拉時，九尾的意志也會隨之出現。

查克拉

意志

ズズズズズズ

嗚嗚嗚嗚嗚嗚

九尾的意志就是憎恨，會以非常強大的力量與查克拉結合在一起。

不管多努力的想保持自我，那個意志還是會企圖與存在心中某處的憎恨結合，並且控制心靈。

也就是說，要控制九尾的力量，是要靠毫無憎恨且堅定的自我意志…來把九尾的意志與九尾的查克拉完美的分離。

查克拉。

バチッン

意志

しゅん

第四代火影在封印九尾的時候，就留下了封印式，能夠讓稍微洩漏出來的查克拉，自然變成鳴人的查克拉。

但是，只要用這把鑰匙打開四象封印，就能引出所有九尾的查克拉。

這樣子……

九尾的意志就會跟著所有九尾的查克拉跑出來

當鳴人的意志輸給九尾的意志時——

九尾就會完全復活！

老實說，四象封印的效力正在慢慢減弱。

我們曾經為了壓抑住在修行時擅自變成九尾的鳴人，使用鑰匙把封印鎖起來…

到目前為止…鑰匙有打開過嗎？

……

但因為封印的效果不佳…所以不知道他什麼時候還會變成九尾。

於是自來也就故意用鑰匙稍微打開封印，

企圖讓鳴人習得對抗九尾意志的力量，藉此來控制九尾的力量。

不過…最後還是失敗了。

那後來呢？

進行得並不順利。

…我記得之前跟大蛇丸交手的時候，

我曾經想要仰賴九尾的力量，把自己的意志託付給九尾。

因為他提到佐助的事情，讓我很生氣…

我也想立刻打倒大蛇丸。

結果我卻傷害了小櫻…

後來大和隊長要我別依靠九尾的查克拉，而是要用自己的力量戰鬥。

如果是在能夠壓制祭品之力的大和隊長的守護之下修行就算了…

但是在戰鬥的時候，憎恨的想法常常會出現，

所以我才會覺得根本不需要九尾的力量。

而且，我也認為我沒辦法靠自己的意志來壓制九尾的意志…

現在因為第四代火影已經把封印重組了，所以還能夠放心，但不知道什麼時候還會失控…

甚至我的心還擅自跟九尾的意志輕易的連接上了。

可是當雛田被培因打倒的時候…我覺得好恨、好不甘心…結果不只是用了那股力量…

不過…

如果要跟佐助戰鬥，就需要九尾的查克拉。

我是九尾的祭品之力，所以不能一直逃避。

我會把九尾妖狐封印在你的體內，還留下牠一半的查克拉給你，
就是因為我相信你能夠控制這種力量…
啪
……
再想下去是沒用的。
爸爸…我會好好控制的！
契約成立了！
我就跟隨你啦！
先去找章魚吧！
油
韻腳筆記本
碎碎唸
碎碎唸
沒有押韻…有沒有什麼不錯的句子呢…

如果不知道敵軍的帥營⋯或是巢穴在哪裡，偷襲就不會有太大的成效。

所以要先組成偵察隊。

那麼——

『那麼』⋯啊⋯這樣缺乏原狀的感覺⋯

⋯如果把濁點的位置對調，變成『廢那』呢？

然後再加上饒舌的感覺，變成「廢那YO♪」。

為什麼要從嘴巴⋯溼溼滑滑的好噁心⋯

你到底想不想讓我跟隨你啊？

喂！嘴巴再張大一點啦！

嗯⋯⋯

プルプル

ゴクン！�⋯

喝——！

ドッ

喝——！

這樣就行了！接下來就送你回木葉忍者村吧！

嗯——

138

只要去找章魚就行了吧…

章魚在哪裡啊？沒有更多的提示了嗎？

雖然不是很清楚…但是他在某座孤島上，而且人們無法接近。

那是生物的樂園，…對我們來說，那是個很快樂的度假勝地。

到了那裡去找章魚之後，他應該會幫你的…總之，應該會有一些啟示。

是！

敬禮

好啦！該送你回去了！

パ

你跑去哪裡啦？剛剛突然消失了，結果又突然出現！

我有點事情啦！

啊！…回來了…

對了！幫我簽名吧！

能不能替我家的孩子簽個名？他可是你的粉絲呢！

沒想到會在這裡遇到你！

喔！是鳴人啊！

?

……

順便也幫我簽個名吧！

木葉忍者村的英雄！引發奇蹟的少年！漩渦鳴人！

…簽名？

…最近他被大家稱為奇蹟少年……

但不久前的狀況卻跟現在完全相反…所以這是難免的事情。

沒有啦…因為我還不習慣這種狀況，而且我也不知道該怎麼簽名…

不行嗎？

…怎麼啦？

一樂

雷影發出召集的三天後

雷

客人，可以先讓他吃拉麵再簽名嗎？

好……好啊……

終於可以吃拉麵啦！

綱手公主…妳已經沒事了嗎？

趁這機會把位子讓給年輕人不就好了？妳也老啦！

因為狀況緊急嘛！

你們動作真快啊…

開始開會。

此為止吧，
打招呼就到

但是綱手大人
能夠回來當火
影，我們就安
心了。

先不管段藏
的事情了…

兩天秤
老頭！

你沒資格
說我吧，

我們要討論八尾與九尾祭品之力的事情…

以及有關於敵人巢穴與戰力的情報。

我們的人似乎找到敵人的巢穴了，

但這說不定是個陷阱…所以還需要收集一些情報。

我們也已經組成偵察部隊隊去收集情報了，

所以必須迅速比對各村子得到的情報。

那就由聯軍另外組成一個統合情報的部隊吧。

嗯，這個提議不錯！

那麼…要把祭品之力藏在哪裡呢？

藏起來？

幹嘛？

鳴人與殺人蜂都是強大的戰力，怎麼可以把他們藏起來！

我也是這麼想的，但是敵人這次戰爭的目的，就是要得到他們。

為了以防萬一…不能讓他們出擊，這是上一次開會時決定的。

敵人可是宇智波斑啊！

如果我們因為保留戰力而失去制勝的機會，那就不會再有機會了！

所以應該要把所有戰力——

這次的戰爭是要保護他們，

所以火影一個人提出反對意見也沒用，還是要透過表決來決定。

小子！

鳴人他…

我很了解他…

他會為了夥伴亂搞…

所以才更要這麼做。

綱手大人…

我也贊成大家的意見。

在討論戰力的問題之前…

…五影必須要團結起來，才有機會獲勝。

………

哼……好吧…

愛說話的蛞蝓公主還在啊…這就表示妳已經沒事了。

現在就來決定把八尾與九尾藏起來的地方，火影，妳沒有意見吧？

好吧…

快繼續進行下去！

哼…我已經決定好要把他們藏在哪裡了…那是個很棒的地方。

把他們藏在沒有「曉」成員出身的雲忍者村的某個地方比較好吧？

因為執行極機密任務而前往樂園孤島！這一定是個啟示！

就跟預言的內容一樣呢！

章魚啊…

那是我跟殺人蜂一起修行的某個孤島。

真的耶！

喔！看到島啦！

請準備登陸囉！

鳴人…好像還沒有感覺到…

…只不過…

放心吧，這裡是很安全的，只要我們不對生物動手，牠們也就不會亂來了。

這裡就類似木葉忍者村的「死亡森林」…但是這邊比較可怕。

樂…樂園？

巨大爺爺仙人那個白癡！

這哪是樂園啊！

只不過什麼？

啊！是章魚腳！

就是住在這座島海岸邊的…

鳴人…那是…

章魚！來引導我吧！

變回人形
啦？

章魚大叔！
謝謝你啊！

謝謝你啊……

拿出

……

HOP STEP JUMP
幹勁 人情 我寫到

我是雲忍者村的天才忍者
只要我大鬧 就像是天災
阿三老師教我
照顧盆栽
試試之後發現
我是凡才

想成為音樂家
是認真的
愉愉 摸摸
忍者是 我的本業

超巨大的吉祥物
背負著八遇到敵人!
就在那裡遇到我!
殺人蜂 謝謝你啊!

這個努力說
冷笑話的肌
肉墨鏡是誰
啊?

難道這個大
叔就是啟示
章魚?

不!說起來應
該是OUT吧…
嗚呻♪

我是個不擅
長應付小鬼
的壞人♪

…我到底跟
他合不合得
來呢?

……

那不是冷
笑話。

那是把演歌的轉
音跟饒舌歌的節
拍結合在一起的
獨創音樂, 也就是饒
舌演歌!

……

各位,辛苦啦!
我正在等
你們呢!

哇啊啊啊啊！

噁——！

KING，別緊張！這些人沒有問題。

吼喔——！

殺人蜂先生站在這座島上猛獸們的頂點，他在一起，這裡就是個很安全的地方。而且還馴服了所有猛獸，所以只要跟

是猩猩呢！

這是…猩猩嗎？

嗚呵…

158

而且島的周圍還有雲忍者村的優秀忍者們設下結界，

只要有可疑的東西接近，馬上就會知道。

他是雲忍者村英雄中的英雄。

那個墨鏡大叔是誰啊？

所以才會選擇這裡當監禁的地方啊⋯

他跟你一樣是祭品之力，

但他是八尾的祭品之力。

他不只控制了猛獸⋯

還能夠完美的控制八尾的尾獸⋯

他叫做殺人蜂。

八尾的……祭品之力……而且……還能控制？那個大叔？

這座島……也是他為了讓自己控制八尾而修行的地方。

…………

YO♪

咚

我不要…我是因為接到雷影老哥的休假命令才來到這裡的。

為什麼我要投注難得的假日做這種事情啊？混帳！王八蛋！

你跟我一樣是祭品之力吧！那幫幫我有什麼關係！

…態度真差啊…威脅我啊？嗚咿？

!!

大叔雖然長得很特殊，但是墨鏡好帥♪

嗚—咿咿咿咿咿♪

扭 扭

搞什麼啊！老是說冷笑話！

那個章魚絕對不是指他！！

幹嘛？

你是說殺人蜂先生做的修行啊⋯

他根本不想理我！

所以只好來問你！

告訴我墨鏡大叔控制八尾的修行到底做了什麼吧！

他就是在這裡修行的吧？

我不管他到底是不是雲忍者⋯

是不是村的英雄⋯

但是他很小氣、頑固，而且愛說冷笑話！

既然同樣是祭品之力，那多了解我一下有什麼關係！

真是⋯

問我⋯

你…跟他打過招呼了嗎？

…什麼？

…其實他一直在注意你，他會這麼做是有原因的。

打招呼？

先打個招呼吧！用你的拳頭來碰我的拳頭。

………

我是已經用我的拳頭碰過他的拳頭了…

那是什麼？

ドドドド

為什麼你不在一樂幫他們簽名？

他們…突然改變態度…故意裝得跟你很熟呢…

ザザザ ドザザ

⁉

⁉

真是一群煩人的傢伙…

（長野縣　鄰町讀者）
○這兩個人的搭檔真棒！希望有機會讓他們在原作裡登場！不過有很多線條這點可能會讓我很辛苦（汗）。在設計上也確實考慮到怎麼襯托出兩個角色彼此的特色呢。

（福岡縣　太田讀者）
○好可愛啊！角色的個性確實用眼睛的形狀表現出來，表情真的很棒。

（大阪府　朝長讀者）
○不論是姿勢或是小東西的設計，還有綁在左手上的許多護額，都能夠讓我們對這個角色有很多想像。

（宮崎縣　デイダラ大好き讀者）
○體毛的圖案確實是太極圖呢，可見這是確實思考過的設計。我家的愛貓也是有黑白相間的體毛，圖案也很像是太極圖，所以我覺得得很可愛。

174

金時，你還不夠厲害。

咕嗚

殺人蜂，如果你有空玩，那為什麼不照顧一下九尾那小鬼？

‧‧‧‧‧‧

你們都是祭品之力，幫他有什麼關係‧‧‧

雖然我也不喜歡九尾‧‧‧但是他蠻有潛力的。

以前我也是在亂搞；但是在遇到你之後就變成這樣了‧‧‧

所以我覺得以前的你‧‧‧

用饒舌歌叫你閉嘴！

我不認同嘲笑饒舌歌的謝謝你啊！

而且他‧‧‧

180

影分身術!

這是怎麼一回事?

你很了解嘛!

不會連影分身術的人數都一樣吧?

搞什麼啊!

坐在瀑布前面集中精神,就能夠進入自己的精神世界,

而這個瀑布就會變成照映出自己真正樣子的鏡子……是個很不可思議的地方。

……現在鳴人正在跟另一個自己戰鬥。

鳴人，你還好吧？你怎麼了？

出現了一個……跟我一模一樣的人！他……

什麼意思？

!?

咳！

呼

呼

……他就是我黑暗的部分。

…………

…………！

呼

呼

呼

說不定會發現那個章魚大叔…到底跟我有什麼不同!

例如他的生平、個性…這樣我說不定會得到一些啟示!

…基叔叔…告訴我更多關於章魚大叔的事情好嗎…

如果你也是祭品之力,那大概能夠想像這種人會走過什麼樣的人生吧!

沒錯,我能夠想像!所以那個大叔當然也能夠想像我的人生吧!

那為什麼我有困難,他卻不願意幫我?我也是…

我不喜歡到處亂講別人的事情,不過…

嗚人…你跟殺人蜂一樣是祭品之力…

讓九尾安定下來也對世界和平有幫助…好吧。

謝啦!

…之前我也跟你說過…

如果你也是祭品之力，那大概想像這種人會走過什麼樣的人生吧！

沒錯…

強大的力量會產生恐懼與鴻溝。

殺人蜂先生一直被村子裡的人們排斥…

但是他並沒有因此感到沮喪或抱怨，

而是保持開朗的態度，常常讓周圍的氣氛變得緩和。

他不以身為祭品之力為恥，反而努力的表現自己。

我認為他應該是懷著驕傲在表現自己。

為什麼他能夠對身為祭品之力的自己感到驕傲？

大概是為了…

他的哥哥……也就是雷影大人。

為了不讓祭品之力背叛，所以從以前開始，就會從五影的兄弟或妻子等血緣關係較親近的人之中選出來。

因為祭品之力就是保護村子領導人的力量，也是展現領導人力量的存在。

……………

？

……………

殺人蜂先生努力的為了雷影大人，讓自己當個了不起的祭品之力。

據說他也是很快就完成了在真實瀑布的修行。

我打從心底尊敬殺人蜂先生，

也把他當成雲忍者村的英雄看待⋯

被如此仰慕的殺人蜂先生真是個了不起的人呢。

而且你也很了解身為祭品之力的他⋯

所以你才會被選為負責在這裡照顧他的人吧⋯

對了！

基叔叔，不然你代替我去求章魚大叔吧！請他教我修行的訣竅！

這可不行⋯

為什麼？

我沒有那種資格⋯

？　？

因為⋯我是曾經企圖殺死殺人蜂先生的人。

⋯⋯什麼？

!?

⋯⋯什麼

為什麼

你剛剛⋯不是說很尊敬他嗎！

這次的火影忍者原創角色最優秀作品，就是（大阪府　益岡浩之讀者）投稿的作品！

益岡讀者將可以得到一張有岸本老師簽名的複製插圖喔！敬請期待！
我們也將繼續募集原創角色，請各位繼續踴躍投稿！

寄件地址為
〒119—0163
　東京都神田郵便局　私書箱66号
　集英社ＪＣ
　"ナルトオリキャラ係"

※不過只能用明信片寄喔！
千萬不要寄信函來喔！ ☺

アフロだけで、30kg ある。

髮の毛を自由自在に使い、敵を攻撃する。

アフロ
厚風露仙人
（上忍）

頭毛最高

47歳

色気とは古くからの親友。一緒に女風呂に入って、「親を見て」ばかりしていた。

戦闘時に、時々使う。

「sss」と毛表している

← 岸本老師畫出來的就是這個樣子！

【厚風露仙人】

〇該怎麼說呢…總之就是很有特色這點非常棒！是仙人這一點真的很帥氣，而且我本來以為能夠自由自在操控頭髮的角色，都是長髮的美形角色呢。

☆投稿作品僅限於原創角色。投稿時請畫出角色的全身。
〇投稿的文章、插圖等會由編輯部保管一段時間後進行廢棄處理。如果您想要保存自己的作品，請先影印之後再進行投稿。另外，如刊載時不希望您的姓名、地址被刊載出來時，請在投稿時註明。投稿作品的著作權將屬於集英社。

那時祭品之力的力量還沒辦法完美地控制八尾的力量。

而且八尾還數度失控，並且破壞雲忍者村。

上一代的第三代雷影等菁英忍者，每次在八尾失控的時候，都會出面阻止八尾。

494：殺人蜂與基

雖然他們總是能壓制住失控的八尾，把牠吸進封印之壺裡⋯

但是每次都會造成許多人死傷。

不過雖然有這種風險，但是在與他國的力量平衡上，為了保持有利的地位，我們還是需要控制八尾的力量，

所以就繼續進行祭品之力的實驗。

其中一位死傷者⋯

⋯⋯⋯

就是家父。

⁉ ？ 不…

…令尊被殺

人蜂先生…

所以…

‼

當家父過世的時候，我們還只是5歲的小孩子。

我跟殺人蜂先生是朋友…

…………

而殺害家父的祭品之力…

在八尾被抽出來封印的時候就死了。

那就是上一代的祭品之力。

過了沒多久之後，殺人蜂先生就被選為八尾的祭品之力。

那為什麼…你會想殺了殺人蜂先生？

要控制八尾是不可能的事情…我認為還會有很多人犧牲…

…………

於是我就越來越恨八尾…

雖然當時我還是個小孩子，但我一直在想辦法報仇…

殺人蜂先生一直在笑。

我漸漸憎恨什麼都不知道、一直在笑的殺人蜂先生。

我對八尾的憎恨，就轉換為對身為祭品之力的殺人蜂先生的憎恨。

…我認為只要殺人蜂先生死了，八尾就會死。

我從背後攻擊殺人蜂先生…

…但是卻失敗了，於是我很害怕的逃走。

雖然當時我有蒙面…但殺人蜂先生可能已經發現是我了。

…後來我就不再主動跟殺人蜂先生交談了。

既然發生過這種事，那你現在為什麼會這麼尊敬他？

…憎恨並沒有立刻消失，後來我也是一直跟蹤並監視他。

但不只是我…

殺人蜂先生一直…被村子裡的人排斥…討厭。

雖然他是因為政治的關係而被別人擅自選為祭品之力，並且負責保護村子…

……？

就是他…

滾開啦！

千萬別靠近他！

謝謝你！

鳴人！你是英雄啊！

我們相信你啊！

那麼…我到底是為了什麼而存在，並且生存的呢？

對他們來說，現在的我是個極欲抹滅的過去遺物。

我好幾次都差點被自己的親生父親暗殺。

你們也太囂張了吧？我愛羅他可是風影！注意說話的口氣！

不愛說話、冷酷、強悍、帥氣。而且還是個菁英…

章魚大叔變得受到大家信賴⋯

我愛羅也成為風影，並且為村子裡的人努力，因而受到認同⋯

⋯⋯⋯⋯⋯⋯

我也是⋯被伊魯卡老師與同期的大家⋯⋯

還有⋯⋯

村子裡的人一直排斥我們呢。

我就是你。

我是你心底的自己。

⋯⋯⋯⋯⋯

我自己都沒想過這些事情⋯

但是在心中的某處，卻還是⋯

鳴人，待
會再說！
動手吧！

沒問題！

嗚啊！

嗚啊！

他很擔心你，
所以跑來找你
，結果就被花
枝攻擊了！

我還以為是因
為基叔叔把事
實說出來，結
果惹草魚大叔
生氣了…

シュルルルルル

木遁・
默殺束縛術！

基叔叔！我們
馬上救你！

52 每個人的第七班!!（完）下集待續

JC08252 C0P208

火影忍者 ⑤2

原名：NARUTO—ナルト—⑤2

作　　者	岸本斉史
譯　　者	方郁仁
執行編輯	沈怡君
發 行 人	范萬楠
發 行 所	東立出版社有限公司
東立網址	http://www.tongli.com.tw
	台北市承德路二段81號10樓
	☎(02)25587277　　FAX(02)25587296
劃撥帳號	1085042-7（東立出版社有限公司）
劃撥專線	(02)25587277　分機274
印　　刷	嘉良印刷實業股份有限公司
裝　　訂	台興印刷裝訂股份有限公司
2010年9月10日第1刷發行	

日本集英社正式授權台灣中文版

"NARUTO"
© 1999 by Masashi Kishimoto
All rights reserved.
First published in Japan in 1999 by SHUEISHA Inc., Tokyo.
Mandarin translation rights in Taiwan arranged by SHUEISHA Inc.
through ANIMATION INTERNATIONAL LTD.

東立出版社有限公司